D1106283

DIEZ PÁJAROS EN MI VENTANA

EDICIONES ekaré

Edición al cuidado de Verónica Uribe,
Andrea Brunet y Pablo Álvarez

Diseño: Verónica Vélez

Primera edición, 2017

Av. Luis Roche, Edif. Banco del Libro.
Altamira Sur. Caracas 1060. Venezuela

C/ Sant Agustí, 6, bajos. 08012 Barcelona, España

www.ekare.com

ISBN 978-84-946699-7-2 · Depósito legal B.15735.2017

ISBN Chile: 978-956-8868-16-1 · Registro de propiedad intelectual Nº 266790

Impreso en China por RRD APSL

DIEZ PÁJAROS EN MI VENTANA

Felipe Munita

Ilustraciones de

Raquel Echenique

Ediciones Ekaré

ÍNDICE

UNO

CONVERSACIÓN DE PÁJAROS
(CANCIÓN EN MI MAYOR)

"los pájaros cantan en pajarístico"
Juan Luis Martínez

Diez pájaros conversan justo ante mi ventana,
hablan en pajarístico de quién sabe qué
unos ríen en do, otros discuten en re:
silbando melodías se pasan la mañana.

Los cables de la luz son su sala de conciertos
y su única orquesta son sus picos abiertos.

A veces, en la cama –la noche aún oscura–
los oigo parloteando en mi fa sol la si
y así, juntando voces de pájaro escribí
en sueños, la canción que adorna esta partitura.

EL PIANO DE CLAUDIO

A Claudio Arrau

El piano de Claudio
es como una ola
su música viaja
desde la vitrola;
comienza en el fondo
del mar, muy pequeña
y luego se asoma
inmensa en mi oreja.
Un sol sostenido
alumbra sus rieles
el piano de Claudio
va y viene, va y viene.
La mano de Claudio
se parece a un coche
que vuela en las teclas
negras de la noche.
Sus dedos caminan
por esta escalera
suben un peldaño
y bajan a tierra
(¿escuchan el piano?).
La mano del hombre
parece una araña
que teje canciones
en las teclas blancas.

CONCIERTO PARA PEQUEÑA ORQUESTA

I

VIAJE EN SOL MAYOR

Su teclear vuela lejano
el piano
un barco que suelta amarras
la guitarra
un tren que no tiene fin
el violín.

Cinco vueltas a la Tierra
nos dimos en mi jardín
los tres riendo en mi oreja
piano, guitarra y violín.

II

CANCIÓN EN RE MENOR

El viento su canto trajo
el contrabajo
canción que sube hasta el cielo
el cello
vestida de fumarola
la viola.

Mis padres en sus cedés
mi abuelo con su vitrola
yo los escucho en la web:
contrabajo, cello y viola.

III

VENTISCA EN SI BEMOL

Ruidoso como un avión
el trombón
liviana como astronauta
la flauta
inquieto cual barrilete
el clarinete.

Los vientos, si tienen prisa,
soplan tormentas de muerte
y en calma son dulce brisa
trombón, flauta y clarinete.

ESTO NO ES UNA PIPA
(EN RITMO DE JAZZ)

Tabaco en fa sostenido, volutas de humo en re,
de un soplo creció la música, ¡vengan a ver!

¡Vuela! corchea en el aire,
¡baila! avión de papel:
canción que nace del viento...

... volantín es.

LA CANCIÓN DE LA GUITARRA

Acá se amarra
la canción
de la guitarra.

Vuela entre las cuerdas como una niña
cantando mientras juega a la rayuela.

...Luego camina por cerros más altos que las cumbres de toda cordillera...

...Y en la cima de ese oleaje un barco dibujando melodías navega.

La madera es la que canta.

LLAVE DE SOL

No atraviesa cerrojos ni
portones,
traviesa llave: sólo
abre canciones.

Remolino de viento es esta llave, rara flor que creció en un pensamiento, dibujándose viajes musicales enrielados en cinco trenes negros.

DOS

VISIÓN DEL HADA

Vino sin hacer alarde
(tarde)
volando como un zorzal
(mal)
blanco vestido la enjunca
(nunca).

Al fin se posó en mis pies
nerviosa, mi voz se trunca:
comprendan que en la vejez
viene tarde, mal y nunca.

UN PUNTO

¿Qué es eso que llamamos
tan simplemente un punto?

Del universo entero
es un planeta,
un pequeño tornillo en
la bicicleta.

En la playa es un solo
grano de arena,
mar adentro es el lomo
de una ballena.

Muy de cerca, una hormiga
con su alimento,
lejos, un elefante
en movimiento.

Desde abajo ¿es un globo
que busca el cielo
o un avión que en el aire
remonta el vuelo?

A la mesa es un hoyo
en el salero,
calle abajo es un calvo
sin su sombrero.

En mi frente, está claro
es un lunar,
y es un signo en el verso
al terminar.

ROMANCE DE LOS AVIONES

Hoy sentado en mi balcón
he vuelto a maravillarme:
vi dos aviones a chorro
en el cielo de la tarde.

Sus largas colas de humo
blancas, como si nevase,
contrastaban con el cielo
y el celeste del paisaje.

Parecían esas colas
de novia para casarse
o dos ríos de aguas blancas
siguiendo lentos su cauce.

Los aviones semejaban
unos lápices gigantes
y el cielo un cuaderno en blanco
comenzando a emborronarse.

Caligrafía celeste
que algún ángel dibujase
con el lápiz en la mano
¡se inventa su propio viaje!

ESTE POEMA

En este poema
no cabe una gota
pero entra el mar
con todas sus olas.

En este poema
no pasa una nube
pero el cielo entero
se apretuja y sube.

En este poema
no hay ni una
estrella
pero encontrarás
galaxias enteras.

En este poema
no hay árboles, no,
pero son inmensos
sus bosques en flor.

En este poema
no pasa un segundo
pero allí está todo
el tiempo del mundo.

En este poema
no cabe una letra
pero sí los libros
de la biblioteca.

¿Por qué este poema
se ve tan pequeño
si en verdad es grande
como son mis sueños?

DOS CUECAS DE CORRAL

I

LA CUECA CLUECA

Cuequeando vi una gallina
cocoroqueándole al gallo
cacacareándole linda
cocoqueteando a su lado.

Tres veces soltó trenzas
y tres las trenzó
trenzando fue hasta el gallo
que ni la miró.

Ni la miró este gallo
gorrión gorrero
gallera la gallina
perdió tres cero.

Fin del gallo y la cueca
gallina clueca.

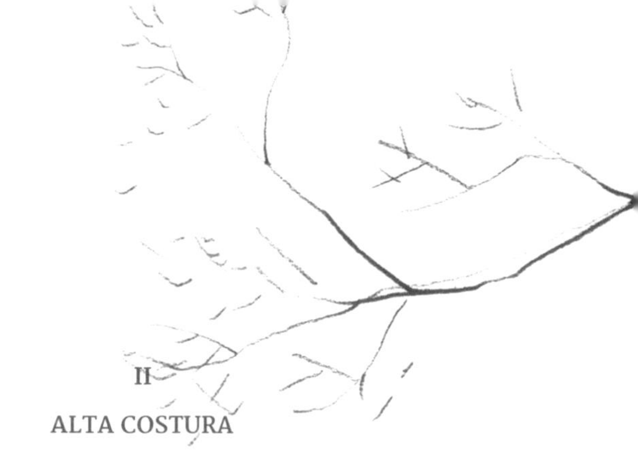

II

ALTA COSTURA

La gallina castellana
se pasea por Sevilla
con un vestido de insectos
y un abrigo de polillas.

Lleva tacos de aguja
(¡gallina extraña!)
y unas preciosas medias
de telaraña.

De lombrices enteras
es su pañuelo
tres tipos de gusanos
tiene el sombrero.

Y el perfume, qué agrado...
¡perro mojado!

LAS VUELTAS DE LA VIDA

Tiene vueltas la vida:

como un circuito de carreras

sin ser un circuito de carreras,

como into
u r
n int e
r lab
i
ncado

sin ser un intrincado laberinto,

c
r
u
c
como un laborioso
g
r
a
m
a

sin ser un laborioso crucigrama,

como el vuelo de una golondrina

sin ser, exactamente, el vuelo de una golondrina.

Tiene vueltas la vida:

gira y gira como la rueda de una bicicleta

y uno no siempre sabe

—como la golondrina—

hacia dónde pedalea.

TRES

LOS ÁRBOLES DEL PARQUE

"los árboles hablan"
Juan Gelman

Los árboles del parque
dicen rayos de sol
entre sus ramas,
dicen pájaros traviesos
gritan luz, susurran agua.

Los árboles del parque
murmuran caracoles
sonríen viento en sus copas
claman primaveras.

Cuando me tiendo en su sombra
les escucho su música
y sonrío
verde.

SUITE JAPONESA

I

HAIKU DEL CARACOL

Sube que sube
la escalera el caracol
lento hasta el cielo.

II

HAIKU DEL PÁJARO

Pájaro cantor
demoras en la rama
menos que un silbo.

III

HAIKU DE LA NIÑA

La niña duerme
el sol sobre su rostro
le sopla sueños.

NOCHE DE LUNA LLENA

Es noche de luna llena
el cielo está despejado
la ventana abierta en par
la luz se cuela a mi lado.

Todo mi cuarto ríe
luna graciosa
vuelas entre las sábanas
cual mariposa.

Almohádate en mi cama
claro de luna
acurrúcate niña
como cuncuna.

Duérmete luz lunera
luna sueñera.

LAS AGUAS DEL MUNDO

a Feña

Su madre la luna llena
su padre el azul profundo
todas las aguas del mundo
vienen del mismo linaje
gotas de idéntico traje...
el océano fecundo.

Unas corren río abajo
otras vuelan en cascadas,
hay enormes marejadas
y arroyos que ni se ven
mas por muy lejos que estén
todas viven conectadas.

Un mar de hilos invisibles
tejen las aguas lejanas
repican como campanas
anunciando lo importante:
no hay gota que no le cante
canciones a sus hermanas.

LA ENREDADERA

"Fantástico sentir cómo el poema crece"
Tomas Tranströmer

Como una enredadera creció este poema. No supe qué caminos seguiría:

si el tejado hacia la casa del vecino
o la ruta hasta la pieza de la abuela.

Tampoco supe nunca por qué salió
justo aquí
sin que yo
plantara
una
semilla.

LA ARAUCARIA

La
araucaria
se mece
como un columpio
sus ramas van de un lado a otro
del
mundo
si algunas ven a un costado
los rayos del sol salir
otras se van a dormir
con la luna como manto
y así
juguetona
se asoma
para ver las dos caras
de la luna
meciéndose en una cuna de madera milenaria
tejiendo trenes que en el cielo viajan

así respira
la araucaria
así sueña:
hundiendo
los pies
en la tierra.

RETRATO

Hubo una
vez un caballero
de triste figura
que de tanto galopar
las páginas de los libros
creyó con fe ciega que la vida
era un cuento más de su enorme biblioteca
así salió al ancho mundo: sin más fuerzas que el brío de su caballo
convencido de que una doncella
lo esperaba al final del camino.
Nadie más que él y su escudero
sabrá si fue amor o fue locura
quizás un día, al volver una página o una esquina, lo encuentres
salúdale con el respeto
que un caballero merece.
Su nombre,
como su
barba,
tiene tres
puntas:
qui-
jo-
te.

ATARDECER

Atardece,
y en el aire todavía hay huellas frescas
de la última golondrina.

FELIPE MUNITA

Felipe Munita nació y creció en Santiago, donde cursó estudios de literatura. Luego emigró, como los pájaros, hacia el sur de Chile, donde ha sido profesor y bibliotecario ambulante. La mezcla de sus grandes pasiones (la poesía, la música y la naturaleza) dio origen a *Diez pájaros en mi ventana*, su segunda obra para niños y jóvenes.

RAQUEL ECHENIQUE

Nació en Cataluña en 1977 y pasó su niñez y adolescencia en un pueblito en el sur de Francia. En Chile se tituló como diseñadora en la Pontificia Universidad Católica y desarrolló su oficio de ilustradora. Ha publicado más de veinte libros para niños y recibido varios premios por su trabajo.

Esta edición
de DIEZ PÁJAROS EN
MI VENTANA se terminó de
imprimir en septiembre de 2017.
Se hicieron 3000 ejemplares en papel Yulong
Pure 130 g. Para los textos interiores se escogieron los tipos
Merriweather y para la tapa y títulos los tipos Cinzel Decorative.